© Rialtas na hÉireann 1996

ISBN 1-85791-180-6

Arna chlóbhualadh in Éirinn ag
Criterion Press Tta

Le ceannach ó Oifig Dhíolta Foilseachán Rialtais,
Sráid Theach Laighean, Baile Átha Cliath 2, nó ó
dhíoltóirí leabhar.
Orduithe tríd an bpost chuig:
Rannóg na bhFoilseachán, Oifig an tSoláthair,
4–5 Bóthar Fhearchair, Baile Átha Cliath 2.

An Gúm, 44 Sráid Uí Chonaill Uacht., Baile Átha Cliath 1

C210804544

Bándearg

Muriel O'Connor

SURESTART

Deirdre Lyons Doyle
a mhaisigh

Oiriúnach do pháistí ó 6-9 mbliana d'aois

AN GÚM
Baile Átha Cliath

Ar chuala tú trácht riamh ar Bhándearg? Níor chuala! Bhuel, is fiú aithne a chur uirthi.

Lacha bheag dheas is ea í. Bándearg a thugtar uirthi mar go bhfuil dath bándearg ar a cuid cleití.

Tá cónaí uirthi féin is ar a máthair i dteach beag cois abhann ar imeall an bhaile. Bhí saol crua ag a máthair mar bhí sí an-bhocht. Bhíodh uirthi a bheith ag obair go deireanach gach oíche ag déanamh agus ag deisiú éadaí. Bhíodh sí tuirseach traochta ón obair.

Bhí trua ag Bándearg dá mháthair. Shocraigh sí go gceannódh sí inneall fuála di i gcomhair na Nollag.

Ach cá bhfaigheadh sí an t-airgead? B'in í an cheist mhór.

Chuaigh sí chun cainte leis an gCat Liath a bhí ina luí á ghrianadh féin ar bhalla an droichid.

'Caithfidh mé airgead a fháil,' ar sise leis an gCat Liath. 'Cad a mholfá dom a dhéanamh?'

'Féach an dtabharfadh Muc Bheag, máistreás an phoist, obair duit,' arsa an Cat Liath.

Ar aghaidh le Bándearg go dtí Oifig an Phoist.

'An bhfuil aon chabhair uait i gcomhair na Nollag?' ar sise go cúthail. 'D'fhéadfainn na bearta a iompar go dtí na tithe.'

'Is eagal liom go bhfuil tú róbheag, a Bhándearg,' arsa Muc Bheag go lách. 'B'fhéidir go bhfaighfeá post éigin sa gharáiste.'

Mar sin thug Bándearg cuairt ar an mBulladóir Mór, an té ar leis an garáiste.

'Bhuel,' ar seisean, 'an bhfuil tú chun carr a cheannach?'

D'éirigh Bándearg níos bándeirge ná riamh.

'Nílim, a Bhulladóir! Teastaíonn uaim inneall fuála a cheannach do mo mháthair agus tá obair á lorg agam chun an t-airgead a thuilleamh.'

'Tá tú róbheag – róbheag ar fad,' a bhéic sé agus lig sé scairt gháire as.

Chas Bándearg uaidh go brónach. Ach caithfidh gur ghlac sé trua di mar bhéic sé ina diaidh i nglór níos boige: 'cuir ceist ar an nGrósaeir. Sílim go bhfuil teachtaire á lorg aige.'

Ar aghaidh le Bándearg go dtí siopa an Ghrósaera.

'Agus cad tá uaitse, a Bhándearg?' arsa Mac Reithe. Mhínigh Bándearg an scéal dó. Bhí seisean an-deas léi ach ní raibh aige di ach post seachtaine.

'Tá mo theachtaire tinn faoi láthair. Is féidir leat a bheith ag obair go ceann seachtaine go dtí go dtiocfaidh sé ar ais,' ar seisean.

Rinne Bándearg an obair do Mhac Reithe an tseachtain sin. Bhí an obair dian agus bhíodh cloig ar a cosa ó na cosáin chrua. Ach ligeadh sí a scíth san abhainn gach tráthnóna.

Nuair a fuair sí a pá i ndeireadh na seachtaine chuir sí i dtaisce é in Oifig an Phoist.

Ba cheart duit dul síos chuig Puisín, an Poitigéir, féachaint an mbeadh obair ar bith aici duit,' arsa Muc Bheag. 'Uaireanta bíonn sí an-ghnóthach an t-am seo den bhliain.'

Ach, faraor, ní raibh aon obair ag Puisín di.

'Tar ar ais tar éis na Nollag. Seans go mbeidh obair agam duit ansin. Is minic a bhíonn a lán daoine tinn i ndiaidh an iomarca den mharóg Nollag a ithe,' arsa Puisín.

'Ach beidh sin ródhéanach. Ní bheidh an t-inneall fuála ag Mamaí i gcomhair na Nollag,' arsa Bándearg.

Chuaigh Bándearg chun cainte arís leis an gCat Liath a bhí fós ina luí ar bhalla an droichid.

'Seo mo chomhairle duit,' arsa an Cat Liath, 'ceannaigh rud éigin níos saoire. Tá grá mór ag do Mham duit agus beidh sí an-sásta leat is cuma cad a thugann tú di.'

Ní raibh Bándearg sásta leis an gcomhairle sin in aon chor.

'Smaoineoidh mé ar chleas éigin fós,' ar sise léi féin. As go brách léi ansin chun dul ag snámh san abhainn.

Díreach ansin tháinig Cearc an Airgid an tslí agus í cromtha go talamh le bearta.

'A Bhándearg, cabhraigh liom,' arsa Cearc an Airgid. 'Táim marbh tuirseach. Ní féidir liom coiscéim eile a shiúl.'

Leis sin thit na bearta go léir ar an gcosán. Agus thit sí féin siar ar fhleasc a droma ar an talamh.

Bhí sórt eagla ar Bhándearg ar dtús nuair a chonaic sí Cearc an Airgid agus a cosa san aer. Ach tháinig an chearc chuici féin.

D'fhéach Bándearg le hiontas ar na bearta a bhí ina luí ar bhruach na habhann. Ní bheadh sí in ann iad go léir a iompar.

Díreach ansin chonaic sí clár adhmaid ag imeacht le sruth na habhann. Ar an bpointe boise sin bhuail smaoineamh í.

D'eitil sí isteach san abhainn agus tharraing sí an clár go dtí an bruach. Ansin chuir sí na bearta agus na málaí air.

'Fan mar a bhfuil tú!' ar sise le Cearc an Airgid in ard a cinn. 'Tiocfaidh mé ar ais chun tú féin a thabhairt abhaile i gceann tamaillín.'

Suas léi an abhainn agus géag crainn in úsáid aici mar mhaide rámha. Ansin sheol sí ar ais leis an sruth.

Bhí Cearc an Airgid thar a bheith sásta. Dhíol sí Bándearg go flaithiúil agus d'iarr sí uirthi teacht faoina coinne gach lá as sin amach i dtreo go bhféadfadh sí a cuid siopadóireachta a dhéanamh ar a suaimhneas.

Fuair Bándearg praghas an innill an Nollaig sin as bheith ag tabhairt lucht siopadóireachta suas agus anuas an abhainn.

Cheannaigh sí an t-inneall fuála dá máthair agus, ar ndóigh, bhí gliondar ar a máthair.

Agus an t-inneall nua aici níor ghá di a bheith ag obair go deireanach gach oíche.

Maidir le Bándearg chuir sí tús le comhlacht dá cuid féin – **Seirbhísí Iompair Bhándearg** – leis an airgead a bhí fágtha aici. Agus as sin amach bhí saol nua aici.

Anois tá rafta mór galánta aici ar an abhainn a bhfuil bord agus cathaoireacha air agus parasól dearg os a gcionn.

Tá a máthair an-bhródúil aisti. Cén fáth nach mbeadh!